詩集

# 飼料米と青大将

小関俊夫



無明舎出版

目次

# 飼料米

人間さまに食わせる
主食米をベゴさ
くわせる飼料米にしろと
金多ぐけっから
人間さまがベゴよりえらいと
おもわないがへんな時代に
なったもんだ
草くうベゴに米くわせたら
うまい肉になるのだろう

米くえなくて口べらしに

姥すて山や娘の身うりの
時代もあった
百姓は冷害に苦しめられながらも
一粒の米に
身を粉にしてはたらいた
日本人が肉をくうようになって
米があまり
減反政策がはじまった
農民はがまんにがまんしてして
稲がみのる前の青田刈りもした
草刈るように
田の稲を刈った
有史以来農民にかせられた
はじめての作業だった
涙はでなかった

米価をさげて補助金づけの農政が
農民をあやつりだした

米があまっているといいながら
外国に自動車をうるために
外国から米を輸入する日本
心をこめて米をつくる
小中農家はじゃまらしい
大型機械が走りまわる
スマート農業
パソコンとリモコンで
農民はいらない

米は日本人をやしないながら
おだやかな
風景と風土をくれた
頭いぐなっから
米くわないで
パンをくえだと
格差社会をつくりながら
米くえない人々がいるのに
べゴさくわせる
飼料米つくれだと

怒りで胸がはりさける

# スーパー人間

人間という種は
生物として
今後生存できるだろうか

水田に
除草剤に抵抗性をもち
進化したオモダカという
スーパー雑草が現われた
畑では
遺伝子組み換え大豆とセットの
除草剤ラウンドアップが効かない

雑草が現れた

田畑にかかわらず
あらゆる所で
除草剤が
使用されている
今後
次々とスーパー雑草が
現われるだろう
殺虫剤も
スーパー虫をよぶだろう

人間も

遺伝子組み換え作物
ゲノム編集作物に
抵抗性をもち
進化しなければならない

放射能にも
あらゆる化学物質にも
そして
身の回りにある
人工物すべてに
抵抗性をもち
進化しなければ
ならない

人間生きる為に
個々の遺伝子組み換えが要求され
スーパー人間の
世界に入る

しかし
スーパー人間は
地球と共存できるだろうか

# 大豆と稲

すっかり乾いた畑に
大豆を蒔いてしまった
雨を待っても
なかなか来ない
大豆の芽がでない
手で掘ってみると

そのままの大豆
すこし動いた大豆
くさった大豆

大豆畑に申し分けないので

追蒔きすることにしたが
半日で終る仕事が
草取りながらの追蒔きで
三日を要した
「やる事はやったぞ」と
大豆畑に声をかけ田に向かう

田の草も勢いをましていた
めんこいはずのコナギも
茎からも根を出し
株立ちして稲を
おおっている
指で取れたコナギも
体でひきぬかないと取れない

ヒエも深く根をはり
太く分ケツして
稲を細くしている

チョボチョボだったキカシグサは
田面いっぱいに群生し
稲をせめている
一歩すすみ両手いっぱいの草を泥にうめる
また一歩両手いっぱいの草を泥にうめる
半日で向う岸までやっととどく
はかどらない田の草取りが
毎日続く
雨の日も

大豆畑は生育ふぞろい
草が大豆をおおっている
条間の草を刈り
株間の大きい草は手でぬいたら
なんとか
大豆畑に見えてきた

田に向うと
稲は草丈をのばし
いたわるように
取り残した草をかくしてくれた

やっと
大豆と稲に
手を合わせ
農人は
畦に胡座した

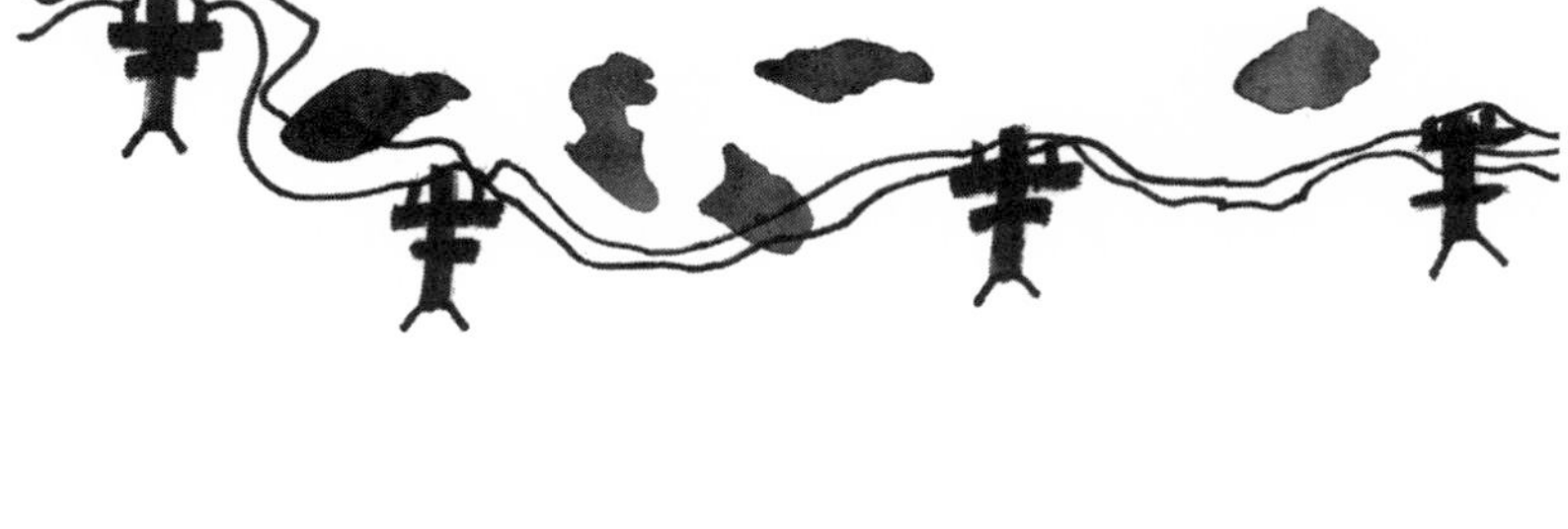

# 彼女たち

ベトナムから出稼に来ていた
五人の彼女たち
縫製の会社に勤めていた
夕方になると
自転車で魚屋に
買い物に来ていた
ブロック塀を勢いよく
直角に曲る彼女たちの自転車
ハラハラするが可愛らしい
毛糸の帽子がよく似合う彼女たち
古民家を借りて
自炊していたようだが

コロナ禍で
解雇されたのだろうか

今どうしているのか
ベトナムにも
帰れないだろうに
後姿しか見てないから
なおさら案ずられる
高校生のような彼女たち

姿が見えなくなって
一ヶ月もたった頃
彼女たちが

一列になって
自転車を踏んでいた
おはようと声をかけたら
二人からおはようと
かえってきた

冬になり
出勤の道を
風雪の強い田んぼ道から
回り道になるが
家並みを通る
県道に変えたようだ
買い物も町の
スーパーになったのだろう

いつの間にか
彼女たちの自転車が魚屋に並んでいた
まずは
よかった
よかった

# 木釘

母の三回忌も近く
女房が蔵からお膳を出した
用なしの木箱は
蔵の外壁におしつけられた
漆ぬりなのでしっかりしている
もったいないなあと
二年間

風呂の焚木にする事にした
ハンマーで板をはたいたら
三本の木釘が出てきた

鉄釘でない
ハンマーが止った
円錐の木釘
するどくかたい
穴をのぞくと微妙な曲り
板もうすく軽い
鉋の跡もありぴったりと組んでいる
職人技に立ちつくる
一本の木釘をつくるのに
一個の木箱をしあげるのに
どれだけの時間と労力を
かけたのだろうか

内は赤色漆

外は黒色漆
もうこわせない

一枚こわしたのだから
やるしかない
手ではがそうとしたが
がんじょうではがれない
ハンマーをにぎったら
三面の板が
ハラハラとくずれた
後は風呂にくべるだけ

プラスチックの箱なら

百円でかえるが
職人さんは
木箱をつくって
いくらもらったのだろうか
家族を養っていける
銭をもらえただろうか
終った事だ

木箱で温い
風呂がいただける

# 農協倉庫

俺の家の境に農協倉庫がある
町道を挟んで西と東に
二庫ある
今は使用されていないが
そのまま在る
蔦をはわせて

米出荷日は賑やかだった
60kgの俵から
30kgの米袋に変り
米検査数も倍になり

紙袋を閉る人もいるから
祭りのような人出だった

夜明け前から運んでくる人もいて
軽トラックから
ドスンドスンと米袋を落す音がして
今日は米出しの日だったと
気ずく若者だった

「倉庫に近い者ほど遅いもんだ」と
小声が聞こえてくる
米検査が終ると
一等米になった人は

酒一升御祝儀
缶詰刺身は気分でとどく
倉庫の北に酒屋があり
南に魚屋がある
部落の中心にあった

ベルトコンベヤーをテーブルに
湯飲み茶碗が並ぶ
酔いがまわると
大人の喧嘩は付き物
若者は呑み振りが
いいと許された

うれしそうに呑む
年輩の方々は
もう亡くなってしまったが
米増産時代
農民と共に生き
天井までとどく米袋を
見守ってくれた
農協倉庫の歴史を
はげ落ちる白壁に見る

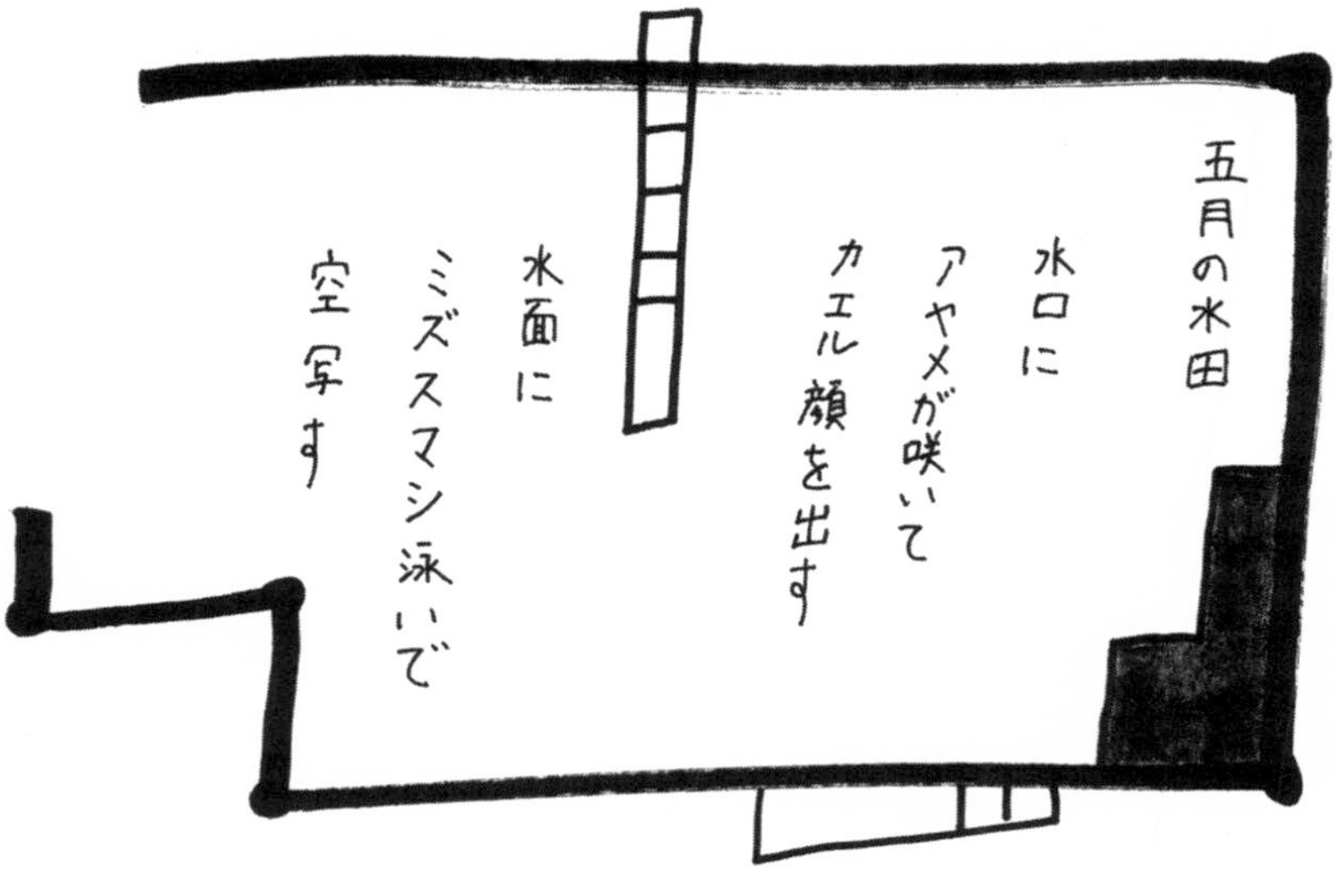
五月の水田
水口に
アヤメが咲いて
カエル顔を出す
水面に
ミズスマシ泳いで
空写す

# 納豆飯

朝飯には納豆がつきもの
玄米飯にどっさりもる
胡麻をふりかけ
口にかっこみ
ゆっくりじっくり噛むと
土の匂いがする

玄米は
無農薬無化学肥料で
38年間天地がつくってくれた
ササニシキ

宮城県大崎市三本木新沼字板橋に根づき
大崎耕土と共に
遺伝子進化した
大豆も無農薬無化学肥料で
10年間天地がつくってくれた
ミヤギノシロメ
虫喰い大豆で半作だが
小粒でつくった自家製納豆が旨い
味噌汁は
煮干しいがいは
我家の野菜
ハクサイ・ニンジン・ネギ・大根
具だくさんに手前味噌
ドンブリにもられた沢庵
バリバリ旨い

しあげは
秘伝豆の黄粉スプーン二杯
屋敷の野草茶で
流しこむ
今日も玄気玄気
こんな学校給食食べさせたい
タングツ似合う子供たちに
野山をかければ
遠く学校も見える山学校
ボロ着ても元気元気

そうだ
ＮＨＫＥテレで
１００分で名著

マルクス資本論をやっていた
労働の変化で
人間をロボットにしたと
その先は人間復活
私の玄米食を予言していた

今
資本論から生物論へ
転換しないと
生物の未来はない
玄気玄気

# 草刈り

タンポポの
球の綿毛も
みんな飛んでいった

そろそろ
草刈りだが
シオンの花が咲き
ちょぼちょぼで
うすいピンクの花が
屋敷をおおってしまった

もうすこし
待つしかないか

ドクダミの
白い花が咲く前には
草刈りを終えたいもんだ

主のアオダイショウも
玄関にねそべりだした

# 左官除草

六月
水田をはい
両手で
泥を塗り塗り
草をかくす

まさに
左官除草

手の平でぬったり
指でかきまぜたり
稲株をさすったり

あてどなく
はいつづける

やっと
畦にとどいて
煙草をつけると
左官の両手は
縄文模様を描いていた

# オモダカ

結婚式に
子孫繁栄を願い
飾られた花
オモダカが
除草剤散布で
水田から消えかけた

しかし
オモダカは
水田を守る為に
除草剤に抵抗し

やっと勝利した

稲作文化の復活を願う
白い可憐な花
オモダカが
稲株の間に咲いている

新開発の除草剤が
来る前にと
今日も美しく咲いて
人の手を待っている

# 盆おどり

太陽は
出穂の籾を開き
つぎつぎと花を咲かせ
稲田は
花祭り

風が
稲穂を
ゆすると
稲田は
真昼の
盆おどり

# サンドイッチ除草

草が面に
でている所は
両手で
草面の
土を
ごっそり取り
隣の草面と
サンドイッチにする

土の山を
手でなでて

できあがり

稲よ
たまには
サンドイッチも
食べてみな

# 都市の孤独に種子を撒け

大地から解放され自由になった都市だが
コンクリート砂漠に
孤独だけが蔓延した
孤独の上に種子を撒け
種子は子根を出し微生物を呼ぶ
細菌原生生物ウィルス
みんな集まるとミミズが生まれ
孤独の腐植から種子は双葉を出す
太陽と雨は孤独を労り
光合成をくれる
根は養分を吸収し
葉が繁り成長していく

孤独は軟らかな
団粒構造になり
水脈もできて小川も流れる
種子は白菜か
大根か大豆か人参か
収穫を待つ

孤独が大地に
帰還する日が
くると

# 岐路

苦しめられ
苦しめられ
四十年

国の農政に
振りまわされ
いつのまにか
補助金だのみ
農民の足腰をつぶし
農の心をうばい
小中農家に

離農をせまる

俺は敗けない

減反政策廃止で
補助金から解放される
農政と別れ
やっと
空と地と人の
農に帰れる

# ウィルス君

ありがとう
ウィルス君
私の体を
つくってくれて

ありがとう
ウィルス君
地球の生物を
つくってくれて

ウィルス君

地球をこわす
人間をつくったのは
誤算かな

でも
ありがとう
ウィルス君

# 裸婦

「どうぞ裸になってください
まる裸になってください
ああ心がをどる」

アカイロ　クロイロ
アオイロ　ミドリイロ
ミズイロ
多彩な原色
荒々しい筆力は獣のようだ

どっさりの黒髪
うつむいた目が
肉体をはなれてる
米俵をもちあげる腕
大きくはる乳房
真紅な乳首の発芽
男をとばす腹
豊かな陰部をはさむ
太股は土着
裸婦はどっしり立つ

こんな裸婦
大正にいたのだ

「裸婦」村山槐多
大正三年

田んぼに行こう

世の悪に
激怒する
田んぼに行こう
ヘビ・カエル
ツバメ・トンボ
コナギ・オモダカ
ホタルイ・ヒエ
みんなに会える
畦に寝ると
俺一人の
地球になる

# 針のような稲

針のような稲は
直立し
水田に
いっぱい
空を映す

針のような稲は
塩辛蜻蛉を
止めている

# 一等米

東の空に日が昇る
孫といっしょに
１２６米袋軽トラックで
農協へ出荷
４２袋１パレット
３パレット積み終えて
安堵

昨年は
乳白粒が多く
二等米になった

猛暑の夏
田に入水をくりかえし
乳白をおさえた

今年の検査米
東北１９４号（ササ結び）
夕方受検組合長が
１２６袋一等米の知らせをもってきた
「ありがとうございました」と
何度か頭を下げた

うれしくてうれしくて　また安堵

# 小便

田の草取り
はっても
はっても
畦まで
とどかない

放心して
小便する
稲株に
肥の泡ぶくが
立つ

# 支柱

トマトの支柱なのに
節が美しい
29本の竹が
機能的に構築され
さわやかに
畑に立っている

女房の
竹のアートに
日常の
美を見る

# めんこいラム

雪まう日も
こたつにいればいいのに
すきま風が通る
俺の部屋についてくる

机に向い
胡座をかく
雪をみながら
詩作にふける
いつの間にか
俺の胡座でねむってる

めんこいラム
鼻水すすりながら
ペンをにぎる
身ぶるいすると
ラムの背におちる
冷えた手を
ラムの腹であたためる
胡座を蓮のように
ねむるラムは
俺の身体の一部のようだ
寒さをこらえ二時間
『ラムこたつに行くか』

# コロナウィルス

世の中の複雑な
絡みが見えた
ひとつが転ぶと
次々と転ぶ

みんな
一日一日を
綱渡りの生活が露呈した
経済という魔物に
呑まれた人類は
経済が呼吸しないと

人間は生きられない世の中
人間も
土の中で生きる
ミミズと同じ生物なのに
地球の生物を
殺している事に気ずかない

コロナウィルスは地球核から
人類への警告に
派遣されたように思える
人類はコロナウィルスを
真摯に受けとめないと
次の使者がやってくる

# イマジン

七月の雨にも田にも畦も
微生物といっしょに
元気に繁る豊かな耕土

畦に殺草剤を散布した農民A
草は枯れ微生物も殺され
緑の畦が黒い畦になった
農民Aは十日後
殺草剤の効果を
確認にくるだろう
軽トラックの中から

幼穂を孕み
もうすぐ
出穂期をむかえる
緑濃い稲田を
黒い畦が取り囲む
風景を

農民から
農の真心が消え
荒廃していく
日本の耕土を
そして
農業を捨てた
日本農政を

# 風神

山を越えて
風神が
下りてくる
森は
ざわめき
なびき
しなって
風神を通す

風神は
慈悲の老木を倒し
微生物を呼んで
稚樹の肥にしてやる

風神は
老木の空を
若木に与え
成長を促す

風神は
森の生物
すべての種子を
ばら播き
新しい生命を
宿す
風神は
森の守護神

# 冬の雑木林

楢・櫟の
親も子も
枝々に節々をつけて
風にそよぎながら
施律線の群れとなって
天空にのびる

楢・櫟の
親も子も
地に血管のように
根をはる

落葉をふみしめると
鼓動がひびく
根々は
螺旋の群れとなって
太古に向う

# 大崎耕土の春

残雪光る
奥羽の山々に
抱かれる大崎耕土

空は
無限に青く
田は耕起を
待っている

農人は田の神に

合掌し
トラクターの
馬力を上げる

奥羽の山々に
見守られ
農人も田も
春のなごみ

この地に生き
この地で死ねたら
幸せ者だ

# 青大将

ニワトリ小屋の
産卵箱で
二ｍの青大将が
精気のない白い顔で
寝そべっている
四個の卵を呑み込んだようだ
ニワトリも鳴かないで
客人をもてなしているようだ
一週間前も
産卵箱に一個もなかった
青大将の豪華な食事の
後だったようだ

青大将は
咲き放題のドクダミの
白い花から
伸び放題のスギナから
椢の居久根から
我家を見守ってくれる
生きる家宝だ
卵は安いもんだ

# 終戦日

生物が集まってくる
避難してくる生物もいる
居久根の屋敷に
入口は畑がせめる轍の道に
人はとまどうが

生物は草茂る屋敷が好き
花も次から次と咲きつづけ
昆虫たちも次から次と
やってきて蜜を吸う
地をはう虫も次から次と
やってきて石ころよけて草の中

木々にはクモの巣がはりめぐる

居久根の涼風で一服
そろそろ十二時
自転車で田に走る

稲穂の籾が次々と開き
白い花が咲く
稲田をうめつくす白い花々
猛暑の受粉
まさに水稲の歓喜
合掌
すべての生物に平和を
イナゴが飛んだ

# 風車の前に

２２０機
高さ２００ｍの
風力発電風車が
船形山麓に連立される前に
しっかりと
船形連峰の山並を
脳裏に納めておこう
　冬の白銀
　春の新緑
　夏の青山
　秋の紅葉

季節の色と山並と
水と命の源ブナ原生林を
そして
泉ヶ岳・北泉ヶ岳・後白髪山
三峰山・蛇ヶ岳・船形山頂
薬師森から荒神山
黒森へと連なる
船形連峰のスカイラインを
しっかりと
脳裏に納めておこう
　床に臥すようになっても
　いつでも
　船形連峰は
　あなたの側にいてくれる

# 御飯粒

床に落ちた
ご飯粒を
祖父が
父が
拾って
食べていた

天地の恵み
一粒の御飯
ゴミになるか
胃におさまるか

72才
俺も
拾って
食べている

# 鉄砲

有害駆除
から逃げた

カラス
一羽
カルガモ
一羽
淋しく
田に立つ
仲間はいない

田植機だけが
走り回る
悲しい
田園風景

# 熊

女川原子力発電所
再稼働が決まった

空を見上げる

今年も何百頭の熊が
有害駆除されたのだろうか
鉄格子の罠にかかった熊が
歯がボロボロ
血まみれになって
空を見る目
報道写真が

離れない
熊は静かに生きる
森の守人なのに
人間こそ
地球の有害

空を見上げる

山里に
マタギがいた頃
熊は
山の神だった

# 森

昨日
俺は森にいた

二月の雪深い
森にいた

祖父祖母も
父母も
子孫も
生きて

立っている
森にいた

森は
蔦がぐるぐる
くいこむ
翁の洞窟に
俺を
とじこめた

# 青猪

真壁仁の「野の詩人」をめくっていたら
青猪の銀毛はゆうぐれの月の夜に
青くかがやくと書いてあった

「泥の会」堀籠健さんが元気だった頃
カモシカを青猪というと教えられた
健さんが暮していた吉田村でも
青猪と言ったのだろうか
健さんは歌人で読書家だから
真壁の青猪の歌は読んでいたと思う
青猪は吉田村か真壁か定かでない

故堀籠健が蘇ってきた

岸辺の木蓮が咲くと
農繁期なのに泊まりがけの花見になった
宮床の酒屋で健は大五郎
俺には日本酒を買ってくれた
貞子さんはとなりで
エコーを吸っている
あの家も売られてしまったが
木蓮だけは元気に太ってる

真壁仁を
話したかった

# 西風

登熟期の稲が
台風になびいた

西風がやってきて
雲間から陽が射すと
稲穂が光る

ありがたい

西風が
つぎつぎとやってきて
強く強く
稲をゆする

ありがたい

西風は
「西山を見ろ」と
稲を起していく

# 雨の代搔

水田に雨がおちると
乳首がピョンピョン
とびでて
消えては
ピョンピョン乳首がとびでて
水輪をひろげる

大きい雨は
大きい乳首を産み
大きい水輪をつくる
小さい雨は

小さい乳首を産み
小さい水輪をつくる

雨の代掻は
雨が産む
乳首の園に
とりかこまれる

# 雀の播種

軒下のクローバーに
小麦の種子を播く雀

五月
三粒の種子が
雨水とクローバーの肥で
青々と五十本の茎数を出した
根元から束になって
大樹のように空に向う小麦

六月
麦穂も色付き
軒下のクローバーの上に
麦秋が訪れると
雀の集団がやってきて
茎を倒し跡形もなく
収穫する
同時に
軒下のクローバーに
小麦の種子を播種していく

小麦の種子が
遺伝子組換え種子になったら
収穫はできても
播種ができなくなり
雀の仕事がひとつ消えていく

# 大豆畑

おいらの大豆畑は
草ボウボウ
広大な補助金大豆畑は
草一本ない
播種と同時に除草剤散布

抵抗した草が
頭を出すとすかさず
殺草剤散布
死んでも緑の大豆畑に
茶色に立っている

もうすぐ
殺菌剤が散布される
農薬をあびながらも
ひっしに実をつける大豆
いつかくる来る
遺伝子組み換え大豆に
敗けたくなくて

大豆が葉を落とすと
すかさず
汎用コンバインがやってきて
さっぱりと収穫していく
大型機械と農薬しか知らない
もぞこい大豆

# 中村哲さん

診療所より
水と緑
農業が人を救う

砂漠を緑に
気の遠くなるような
時間と労力
アフガンの内戦を
嘆きながらも
水路と井戸掘りに
全力をつくしやりとげた

中村哲さん

安倍政権は
ＴＰＰ・種子法廃止
日本農業を殺し
緑豊かな日本列島を
砂漠にするようだ

東北の農人として叫ぶ
「農業は人間の礎だ」
奥羽山脈の彼方に中村哲さんはいる

緑のチョウチョ

大豆の子葉がわれて
双葉を出した
畑いっぱいに

そよ風が
双葉をゆらし
ヒラヒラ
ヒラヒラ
緑のチョウチョになった

白いチョウチョ
黄色チョウチョ
緑のチョウチョの群に
まよいこむ

緑のチョウチョが
羽化する
六月初旬の
瞬時の光景

# 海水浴

出穂まじか
青々と繁る
稲田に
盛夏の風が
緑色
黄色
赤色と
多彩な波を
次々と
造っていく

稲田に
もぐる
俺は
多彩な
海水浴

# 農婦の尻

青い水田にもぐり
田の草をとる
美しくも
たくましい
農婦の尻
空につき出し
農を物語る

黄金の稲穂にもぐり
稲刈る
美しくも

たくましい
農婦の尻
空につき出し
農を物語る

# 風力発電

一本の草を枯らしてはならない
一輪の花を潰してはならない
一株の木を伐ってはならない

一匹の虫も
一羽の鳥も
一頭の熊も
殺してはならない
森は生物だから

山上に連立させられ

風をまきこみ
電気をつくれ
経済のためにと
資本が命令する

20年後
錆びても立ちつづける
御苦労様と
誰も言ってくれない
朽ち果てるまで
立ちつづける
風力発電風車の
悲しい運命を
つくってはいけない

# もったいない

今年の大豆は
虫喰いや小粒が多く
大豆選別で
農閑期が短くなりそうだ

目と指で
大豆を優・良・可に
別けていく
優と可は一目で
別けられるが
良と可の境は
大豆を指で回しながら
決めるので
手間取る

可は堆肥に
良は味噌用にまぜる
今年は半分虫喰いも
もったいないから
良にする
優一色から納豆用に
小粒を拾う

自然農法を誇りに
せわしく指が動く

# 黄の家

ひと雨で
水仙が
いっせいに
咲きほこり

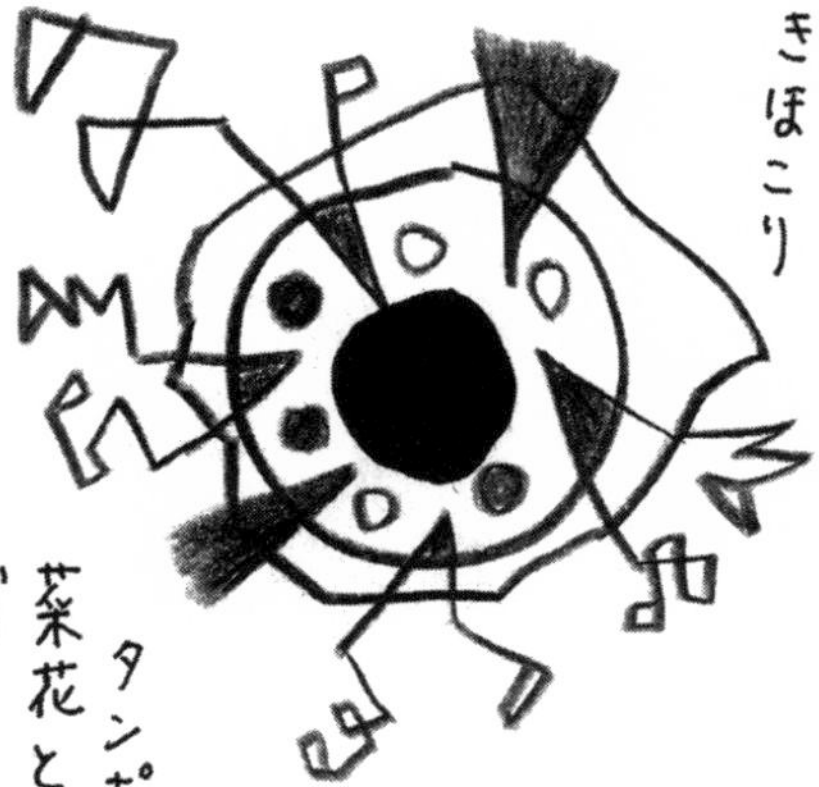

タンポポと
菜花と
いっしょに
鯉のぼり泳ぐ
家を
黄でかこむ

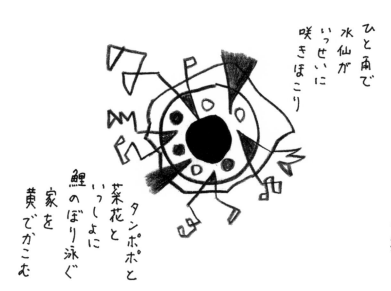

## 炬燵

男は
大豆の
選別

女は
小豆の
選別

しゃべることなく
昼がくる

# 木の性

節のある木は
鉞を
三度はねかえす
六度目で
やっと大きく
割目がはいる

黒い男根が
紫の女陰に
くいこんでいる

男根の元の
年輪がもりあがる
男根をめでる
女陰の年輪も
もりあがる
女陰の吸引力と
男根の突起力で
はなれない

鉞は
明日にする

# 蛇

鉄のオブジェ
「田の神」の内で
蛇が脱皮した

六尺の蛇が
オブジェの
四角空間から入り
胴体を
鉄筋にあずけ
頭は香る
ハーブの繁み

尻尾は入口の
鉄板にひっかけ
脱皮したようだ

猛暑の夏
オブジェは小陰になったか
それとも
田の神が
蛇を招いたのか

# 戯言

早朝
草刈機で
大きな蛙を一匹
殺してしまった
蛙殺しの
現場検証はない

両生類の法律で
人を裁けない
矛盾
殺意はないから

情状酌量だろうが

人は戯言「ごめん」で
無罪放免
蛙の生命は
どうなる

土よ
抱いてくれ

# 虚無

農業国から
工業国へ
そして今
観光立国

GOTO
GOTO
と

行き場のない

日本国
虚無を知れ

# 残雪

船形山に
白蛇が
登り

栗駒山を
白馬が
翔ると

大崎耕土は
まさに
田植盛り

# この地の空

晴れの日は
晴れの仕事
雨の日は
雨の仕事

農には
曜日がなく
作物の生育と
お空で
仕事がくる

この地に生まれ
この地で終える
小粒の農人を
この地の空が
見とどけてくれる

# 図書館

昨年大豆が不作だったので
大豆栽培の勉強しようと思い、
図書館に本を借りに来た
昔の本が欲しかったが、
若い女の職員がパソコンで調べ
持って来てくれたのは
現代版の大規模栽培の本
倉庫からさがしてくれた
ので三冊借りることにした

とっさに

茨木のり子の詩集あり
ますかと聞いたら
案内してくれた
図書館の最奥のコーナーに
「倚りかからず」は
読んでいたが
それも一緒に三冊
隣りの石牟礼道子
「祖さまの草の邑」も
借りて四冊
合計七冊借りて車にのる
たまに来ると
多く借りてしまう返却日があるのに
と思いながら
家についた

# 緑虫

長靴一尺もぐる稲田に
頭をつっこむ
手は泥をはい草をぬく

七月の草は成長し
深く根をはる草
茎からも根をだし
株間・条間を占領する草
腰を入れないとぬけてこない
両手いっぱいの草を泥にうめこみ
来年の肥にと泥でなでる

稲田から頭を出し
一歩ふみだしまた頭をつっこむと
両手いっぱいの草になる
幼穂孕む稲株を
傷つけないようにまた一歩
くりかえしくりかえす
畦までまだ遠い
両手に草をにぎったまま
深呼吸すると
緑風が入ってきた

俺は緑に染っている
俺は稲田の緑虫
泥から産まれた緑虫

# 歩

足の踵で土に穴をあけ
笊から二粒の大豆を
手で下し

足の脇で土をかけ
足の平で踏む
念ずるように

一歩二歩三歩
十歩百歩と

歩の仕事は
のんびりと
畑ものんびりと

お天道さんも
つられて
のんびりと

## 著者略歴

**小関 俊夫**（こせき としお）

1948年　宮城県大崎市三本木に生まれる
1983年　「船形山のブナを守る会」世話人代表となり、現在にいたる
2011年　『詩集　稲穂と戦場』（無明舎出版）
2013年　『詩集　村とムラ』（無明舎出版）
2015年　『詩集　農で原発を止める』（無明舎出版）
2017年　『詩集　農から謝罪』（無明舎出版）

詩集　飼料米と青大将

定価一七六〇円〔本体一六〇〇円＋税〕

二〇二一年八月一五日　初版発行

著　者　小関俊夫
発行者　安倍　甲
発行所　㈲無明舎出版
秋田市広面字川崎一一二―一
電　話／（〇一八）八三二―五六八〇
FAX／（〇一八）八三二―五一三七
製　版　㈲三浦印刷
印刷・製本　㈱シナノ



ISBN 978-4-89544-670-9